Mon cahier de dictées II

TOUT POUR SE PRÉPARER ET RÉUSSIR !

2e année

Mon cahier de dictées II
TOUT POUR SE PRÉPARER ET RÉUSSIR !
2e année

France Lorrain

CAR ACT ÈRE

Illustrations : Daniel Rainville, Aghate Bray-Bourret, Julien Del Busso,
Hugo Desrosiers et Alexandre Bélisle

Conception graphique et mise en pages : Tictac graphique

Couverture : Bruno Paradis

Révision : Anik Tia Tiong Fat

Correction : Richard Bélanger

Illustration de la couverture : Daniel Rainville

Imprimé au Canada
ISBN 978-2-89642-337-8
Dépôt légal – Bibliothèque et Archives nationales du Québec, 2010

Nous reconnaissons l'aide financière du gouvernement du Canada par
l'entremise du Fonds du livre du Canada pour nos activités d'édition.

Visitez le site des Éditions Caractère
editionscaractere.com

Table des matières

Mot aux parents

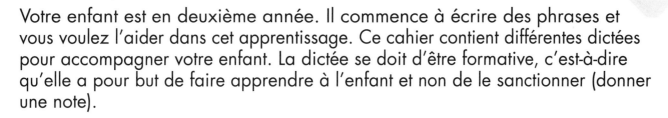

Votre enfant est en deuxième année. Il commence à écrire des phrases et vous voulez l'aider dans cet apprentissage. Ce cahier contient différentes dictées pour accompagner votre enfant. La dictée se doit d'être formative, c'est-à-dire qu'elle a pour but de faire apprendre à l'enfant et non de le sanctionner (donner une note).

Lorsqu'il écrit, l'enfant de deuxième année fera diverses activités en classe : de courts messages, des exercices, des jeux d'écriture… La dictée est UNE de ces activités. Il est primordial de travailler avec ce cahier dans un esprit d'apprentissage. Votre enfant fera des erreurs et le but de la dictée est aussi d'apprendre à se corriger. Il faut donc mettre des efforts sur les astuces, les conseils et les méthodes d'autocorrection.

Ce cahier présente :
- des notions ;
- des dictées trouées ;
- des jeux de mots ;
- des dictées de lettres, de sons et de mots ;
- des dictées de phrases ;
- des astuces et des conseils.

Certaines dictées sont à faire seul, d'autres nécessitent votre participation. Il vous suffit de lire attentivement les directives pour connaître le procédé. Le corrigé détachable vous permettra de donner les dictées plus facilement.

Voici une liste des mots les plus fréquents que votre enfant apprendra.
(Cette liste peut varier d'une école à l'autre.)

suis	le/la/les	et	il	elle
garçon	fille	joue	son	un/une
joue	nous	mon	est	école
je	j'ai	aime	faire	dans
maison	amie	ami	beau	belle
de/des	ce	avec	chez	donne
gros	grand	sur	ballon	petit

Lorsqu'il y a lieu, utilisez ces mots pour compléter les dictées.
Le conseil le plus important que nous voulons vous donner est d'aider votre enfant à trouver du plaisir dans ses activités d'écriture.

Bonnes dictées !

L'ordre alphabétique

Lorsque tu cherches un mot dans le dictionnaire,
tu utilises l'ordre alphabétique.
Pour placer les lettres dans l'ordre alphabétique,
tu cherches la lettre la plus rapprochée du *a*.
Par exemple, *w g r a v c e* classés par ordre alphabétique
donne : *a c e g r v w*.

1. Pour chaque rangée, classe les lettres suivantes dans l'ordre alphabétique.

r   d   q   _____

g   a   n   _____

u   b   j   _____

2. Essaie de nouveau.

t   è   l   à   o   x   ï

_____

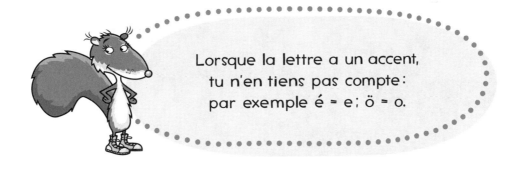

Lorsque la lettre a un accent,
tu n'en tiens pas compte :
par exemple é = e ; ö = o.

L'ordre alphabétique

1. Dictée de mots.

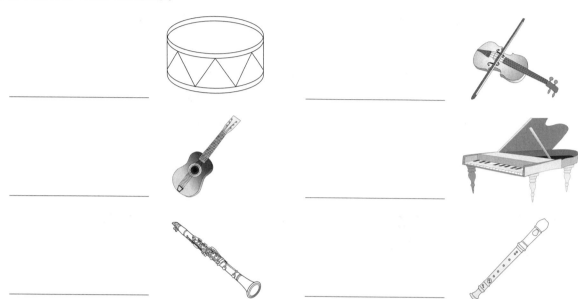

_____

_____

_____

2. Classe les mots précédents dans l'ordre alphabétique.

_____

_____

_____

_____

_____

_____

L'ordre alphabétique

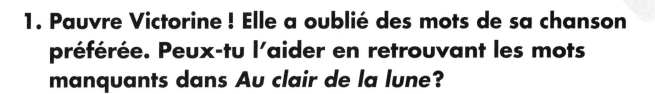

1. Pauvre Victorine ! Elle a oublié des mots de sa chanson préférée. Peux-tu l'aider en retrouvant les mots manquants dans *Au clair de la lune*?

_____ clair de la _____,

_____ ami Pierrot.

Prête-moi ta _____,

Pour _____ un mot.

_____ chandelle est _____

_____ n'ai plus de feu…

Ouvre-moi la _____,

_____ l'amour de Dieu !

2. Écris les mots manquants de la chanson dans l'ordre alphabétique:

_____, _____, _____, _____, _____,

_____, _____, _____, _____, _____.

L'ordre alphabétique

1. Complète le texte avec les mots que te dicte ton parent.

Je suis un musicien. J'aime la _____ parce que c'est _____.

Le soir, dans ma _____, j'écoute _____ la radio.

C'est comme un _____ d'_____ à mes _____.

Je joue de plusieurs _____ : du _____,

de la _____ et de la _____.

2. Range les mots de la dictée dans l'ordre alphabétique :

_____   _____

_____   _____

_____   _____

_____

Quand deux mots commencent par la même lettre, tu dois regarder la deuxième : ex.: chanson, clavier, carillon.
ca rillon, ch anson, cl avier.

L'ordre alphabétique

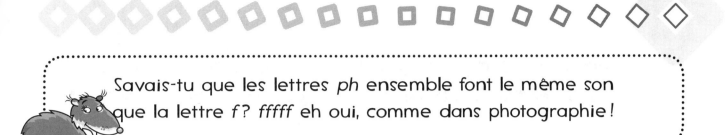

Savais-tu que les lettres *ph* ensemble font le même son que la lettre *f*? *fffff* eh oui, comme dans photographie!

Comme dans Phictorine?
Mais nooon! C'est Victorine!

Écris les mots sous les images. Dans chaque phrase, il y a un mot avec le son *f* écrit avec *ph* et un mot avec le son *f* écrit avec *f*!

Ex.: J'aime **ph**otogra**ph**ier les **f**leurs.

Le _____ est dans le _____.

Le _____ est dans les _____.

Ce _____ se déplace aussi vite qu'une _____.

Le _____ est _____!

Il y a un _____ caché dans la _____!

Le _____ connaît son _____.

Je regarde le _____ près du _____.

L'ordre alphabétique

Voici une petite dictée de phrases. Te rappelles-tu de ton code de correction? Victorine te le présente de nouveau :

- Encadre la majuscule et le point de chaque phrase.
- Fais les lunettes pour la marque du pluriel.
- Retrouve les mots que tu connais : lis <u>chaque lettre</u> pour être certain(e) que tu as toutes les lettres.
- Fais une petite étoile (*) lorsque tu hésites sur un mot. Tu pourras le corriger à la fin de la dictée.

_____

_____

_____

_____

_____

_____

_____

Psst! pour les noms propres, mets la majuscule en bleu. C'est ma couleur préférée!

Les sons

**Tu as appris plusieurs sons en première année.
Écris un mot qui contient chacun des sons suivants:**

on comme dans _____

in comme dans _____

oi comme dans _____

eau comme dans _____

au comme dans _____

ch comme dans _____

ou comme dans _____

am comme dans _____

im comme dans _____

em comme dans _____

ille comme dans _____

eille comme dans _____

aille comme dans _____

As-tu une bonne mémoire?
N'oublie pas de t'arrêter
pour chercher le son.

Les sons

◇ ◇ ◇ ◇ ◻ ◻ ◻ ◻ ◻ ◻ ◻ ◇ ◇ ◇ ◇ ◇

1. Dans la dictée suivante, il manque plusieurs mots. Tu dois écrire les mots qui te sont dictés.

Le corps humain est une _____ machine !

Notre squelette _____ les _____ : le cœur,

_____ _____, l'estomac, etc.

Le crâne est comme une _____ pour le _____.

L'air entre par le _____ et la _____.

Le cœur fait le _____ d'une _____ _____.

_____ _____ nous aident à _____ en forme.

2. Écris le nom des parties du corps.

c) _____

d) _____

a) _____

e) _____

b) _____

f) _____

Les sons

Victorine veut te présenter de nouveaux sons.
Tu les connais peut-être déjà? Regarde bien:

ç	comme dans garçon.
tion	comme dans addition.
ien	comme dans Julien.
gn	comme dans beigne.
œ	comme dans œuf – le *o* devant le *e* est muet.
er - ez	comme dans donner ou donnez (on prononce donné).

Le petit crochet sous le *c* s'appelle une cédille.

Écris les mots sous les images:

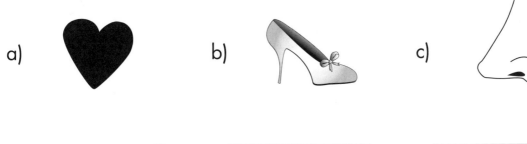

a) _____   b) _____   c) _____

d) _____   e) _____

f) _____   g) _____

Les sons

Dans la recette suivante, Victorine a oublié des aliments. Alors son gâteau n'est pas très réussi. Peux-tu compléter la recette? Ton parent va te les nommer. Écoute bien.

Ingrédients

- 200 g de _____ _____
- 125 g de _____
- 100 g de _____
- 1 _____ à thé de _____ à lever
- 4 _____
- 150 g de _____

Préparation

1. _____ fondre le _____ dans une petite

   _____ avec le _____.

2. _____ du feu.

3. Incorporer la _____ à lever et la _____.

4. Battre les _____ avec le _____

   et _____ le _____.

5. Verser la _____ dans un moule beurré et fariné.

6. Mettre au _____ à 350 °F pendant 30 _____.

7. Miam ! Il est temps de se _____ !

Les sons

Aujourd'hui, Victorine ne se sent pas bien.
Voici ce qu'elle dit au docteur :

– _____ mal au _____. Lorsque je me _____,

mon _____ lève.

Je _____ étourdie et je ne veux rien _____.

Je ne _____ pas, je ne me _____ pas

et je ne _____ pas. Je ne _____ même pas

le _____ à la télévision. Alors docteur ?

– Combien de _____ de gâteau as-tu mangées

Victorine est _____. Elle a été trop _____

la coquine !

Les sons

Écris la dictée suivante. Trouve les quatre mots qui sont au pluriel. N'oublie pas de faire les lunettes du pluriel, cela t'aidera à les trouver!

Les déterminants et le nom

Dans une phrase, il y a des mots.
Ces mots font partie de différents groupes. Par exemple,
il y a les déterminants (le, la, une, des, plusieurs, etc.),
les noms communs (patate, mère, chaise, chat, etc.)
et les noms propres (Marie, Canada, Fido, etc.).

**Colorie les mots soulignés de la bonne couleur:
les déterminants en bleu, les noms communs en vert
et les noms propres en rouge. N'oublie pas que les petits
trucs de Victorine sont là pour t'aider.**

L'Halloween est une fête spéciale pour les enfants. On mange

des bonbons, on se déguise toute la journée. À Noël, les gens ont

le cœur plein d'amour et de joie. À la Saint-Valentin, mon papa

et ma maman me font un gros câlin. Et à Pâques, qu'est-ce que je fais?

Je mange des poules et des œufs en chocolat!

Le déterminant est un mot qui ne dit rien
lorsqu'il est seul et qui se place
devant le nom commun: un, mon, ta, le, la, ce, etc.

Le nom commun est l'ami du déterminant: chat, maison, gâteau, etc.
et ne peut pas être supprimé dans la phrase.

Le nom propre, c'est facile: il commence TOUJOURS
par une lettre majuscule: Julie, Amérique, etc.

Les déterminants et le nom

1. Écris les noms communs et les noms propres qui te sont dictés.

_____ _____ _____ _____

_____ _____ _____ _____

_____ _____ _____ _____

_____ _____ _____ _____

_____ _____ _____ _____

2. Trouve un déterminant pour accompagner chacun des noms communs suivants (tu ne dois pas utiliser le même deux fois):

_____ brioche.

_____ déguisements.

_____ lapin en chocolat.

_____ fondue.

_____ sapins de Noël.

_____ couronnes.

Attention, tu dois parfois mettre le déterminant au pluriel!

Les déterminants et le nom

Complète les mots : la première et la dernière lettre sont écrites. À toi de deviner celles qui manquent.

Je suis u _____ e p _____ e en chocolat. Je m'appelle Cocotte.

Le m _____ n de Pâques, je me cache dans le j _____ n de

la m _____ n. Pourquoi ? Parce que tous les p _____ s me

cherchent pour me manger. J'ai peur et je tremble de toutes m _____ s

p _____ s ! Un j _____ r, un g _____ n plus rusé est passé tout près de

moi. Oh, là, là ! J'ai arrêté de respirer pendant t _____ e s _____ s.

Et puis, ouf ! il ne m'a pas trouvée. Mais il a mangé toutes l _____ s

f _____ s du f _____ r !

Les mots te seront dictés !

Les déterminants et le nom

**Complète cette fiche d'identité avec des noms propres.
Attention à la première lettre qui est TRÈS importante.
Te rappelles-tu pourquoi?**

Je m'appelle _____ _____.
                (ton prénom)   (ton nom de famille)

J'habite la ville de _____ dans la province de _____.

Mon beau pays se nomme le _____.

                      (écris un nom de pays)

Un jour, j'aimerais visiter le / la _____.

         (prénom de ton père)   (prénom de ta mère)

Mon père se prénomme _____ et ma mère _____.

J'ai un animal et son nom est _____.

La fête que je préfère est _____.

> Quelle fête préfères-tu?
> Celle des cadeaux? Celle des bonbons?
> Celle du chocolat? Celle de l'amour?

Les déterminants et le nom

◇◇◇◇◇◇◇◇◇◇□□□□□□◇◇◇◇◇

Complète la dictée suivante. Ensuite, place les mots que tu as écrits dans les bonnes catégories.

Il y a _____ _____ très important au _____

de _____. C'est _____ _____ _____

_____. Certains pensent que _____ _____

nous vient _____ _____ _____.

D'autres disent que c'est en _____ que _____ _____

ont commencé à recevoir _____ _____. Peu importe

son origine, tous _____ _____ et moi adorons

embrasser _____

_____ de _____ _____ spécial.

Déterminant	Nom commun	Nom propre

Les déterminants et le nom

◇ ◇ ◇ ◇ ◇ ◇ ◇ ◇ ◇ ◇ ◇ ◇ ◇ ◇ ◇ ◇ ◇

1. Voici une dictée écrite par Victorine. Tu vas comprendre pourquoi elle aime beaucoup ce texte, la coquine !

_____

_____

_____

_____

_____

_____

_____

2. Dessine ton cadeau préféré.

Les adjectifs

Qu'est-ce qu'un adjectif?
C'est un mot pour donner des détails, pour décrire, pour préciser.
Ex.: gros, jaune, merveilleux, épicé, maigre, etc.
Comment le trouver?
Tu peux parfois mettre très devant: très gros, très épicé
ou te poser la question: Comment est le chandail? Il est jaune.

Dans la liste qui suit, trouve un adjectif pour chaque nom.

vert - maman - carnivore - jouer - belle - pointue - pays

cassé - haut - doux - méchant - joyeuse - longue - blanc.

Un dinosaure _____.

Un fossile _____.

Une fleur _____.

Une dent _____.

Une corne _____.

Un œuf _____.

Un tyrannosaure _____.

Un arbre _____.

Une famille _____.

Un oiseau _____.

Un fossile est une trace ou un reste d'être vivant
(animal, insecte, etc.) conservé dans la pierre.

27

Les adjectifs

Les dinosaures sont des animaux faciles à décrire. Lis les définitions suivantes et trouve l'adjectif correspondant. Ensuite place cet adjectif dans la grille de mots de la page suivante.

Horizontal

1. Le contraire de vivant. _____

2. Le contraire de petit. _____

3. Je me cache devant un dinosaure car je suis... _____

4. La couleur de plusieurs dinosaures. _____

5. Un dinosaure qui mange de la viande. _____

6. Un dinosaure qui mange de l'herbe et des plantes. _____

Vertical

7. Le tyrannosaure n'était pas gentil. Il était... _____

8. La queue du diplodocus est... _____

9. Le dinosaure est un animal qui n'existe plus. Il a... _____

10. Un animal qui pond des œufs est... _____

Les adjectifs

Les adjectifs

L'adjectif accompagne le nom commun. Comme c'est un bon ami,
lorsque le nom met des lunettes, l'adjectif en met aussi.
On peut dire que les deux portent des lunettes de martien!
Exemple : des lunettes roses

1. Écris les adjectifs qui te sont dictés. Ensuite, complète les phrases en pensant aux lunettes de martien!

_____

_____

_____

_____

2. Les dinosaures _____ ne vivaient pas longtemps. Le plus _____

était le tyrannosaure ou T. Rex. Il était _____ et très _____.

Ses _____ dents faisaient peur à tous les animaux.

Les couleurs _____ et _____ étaient présentes chez

certains dinosaures. Les nuits _____, les _____

dinosaures se cachaient dans les grottes _____.

Les adjectifs

Écoute et note les groupes de mots qui te sont dictés.
Tu dois parfois mettre le nom et l'adjectif au pluriel.

Les adjectifs

Tu dois écrire la dictée suivante. Retrouve les six adjectifs et souligne-les en couleur.

N'oublie pas de faire tes lunettes de pluriel! Cela t'aide VRAIMENT à retrouver les mots qui prennent la marque du pluriel.

Le genre du nom

Le nom commun est féminin lorsque tu peux mettre
la, une, ma, cette, devant ce nom. Ex.: la fille, ma jupe, etc.
Le nom commun est masculin lorsque tu peux mettre
le, un, ton, ce, cet, devant le nom. Ex.: le garçon, un chapeau, etc.

Lis les noms suivants et indique s'il s'agit d'un nom féminin ou masculin.

un clown

☐ ☐
féminin masculin

un funambule

☐ ☐
féminin masculin

une danseuse

☐ ☐
féminin masculin

la jongleuse

☐ ☐
féminin masculin

une gymnaste

☐ ☐
féminin masculin

le cirque

☐ ☐
féminin masculin

Le genre du nom

1. Écris le nom de l'animal de cirque pour chacun des déterminants suivants.

Un _____

L' _____

L' _____

Un_____

La _____

Un _____

2. As-tu remarqué que deux déterminants ont perdu leur voyelle? *Le* et *la* deviennent *l'* lorsque le nom qui suit commence par une voyelle. Pour savoir si le nom est féminin ou masculin, remplace par un ou une.

Un ou une?

Un ou une?

Le genre du nom

1. Complète la dictée trouée suivante avec les mots qu'on te dicte.

Julia est _____ dans _____ Mambo. Elle marche

sur _____ avec _____. Parfois, elle chute,

mais _____ _____ l'aide à remonter. _____

travaille depuis longtemps sous _____ _____.

_____, Julia veut grimper sur _____ pour

attraper _____. Elle pourra alors se balancer comme

_____ !

2. Souligne en rouge les mots féminins et en bleu les mots masculins.

N'oublie pas
ton astuce pour le *l'* :
essaie *un* ou *une* devant le nom.

Le genre du nom

L'adjectif peut être féminin ou masculin. Il reçoit son genre du nom commun qu'il accompagne. Regarde bien:

masculin	féminin
*Un clown content.	*Une acrobate contente.

On ajoute souvent un e pour mettre le nom ou l'adjectif au féminin.

Écris les groupes de mots suivants au féminin:

_____

_____

_____

_____

_____

_____

Lorsque le nom ou l'adjectif se termine déjà par un e, on n'ajoute pas d'autre lettre pour le féminin.

Le nombre

Lorsque tu mets un nom ou un adjectif au pluriel,
tu ajoutes un *s* ou parfois un *x*.
Si ton mot se termine par *s*, *x* ou *z*, tu n'ajoutes rien.
Rappelle-toi : pluriel = plusieurs

Youpi !
C'est le moment de faire des lunettes dans mes phrases !

Regarde les images et écris ensuite un déterminant + un nom commun + un adjectif sous chacune d'elle. Suis bien la consigne qui te dit de mettre tes mots au féminin ou au masculin et au singulier ou au pluriel.

Exemple :   féminin/pluriel   masculin/singulier

des quille(s) jaune(s)   le gros ballon

a) masculin/pluriel

_____

b) féminin/pluriel

_____

c) masculin/singulier

_____

d) masculin/pluriel

_____

e) féminin/pluriel

_____

f) féminin/singulier

_____

Le nombre

1. Écris la dictée suivante. Tu dois faire attention à la marque du pluriel. Fais tes lunettes, cela t'aidera.

_____

_____

_____

_____

_____

_____

2. Trouve les six noms au pluriel. Note-les dans le tableau avec le déterminant et l'adjectif.

Déterminant	Nom commun	Adjectif

Le groupe du nom

Tu connais maintenant trois classes de mots :
- le déterminant,
- le nom (commun ou propre),
- l'adjectif.

Lorsqu'on place ces mots dans une phrase, ils font partie du **groupe du nom**. Le groupe du nom peut être :
- un nom seul : **Marie** aime jouer.
- un nom + un déterminant : **La pluie** tombe fort.

  un déterminant + un nom + un adjectif : **La pluie froide** tombe fort.

Dans les phrases ci-dessous, les groupes du nom sont soulignés. Écris dét. au-dessus du déterminant, fais un ♥ au-dessus du nom commun ou du nom propre et écris adj. au-dessus des adjectifs.

1. Obélix est un gros bonhomme.

2. Le petit garçon s'appelle Cédric.

3. Le chat Garfield aime tout manger !

4. Connais-tu le chien de Tintin ? C'est Milou.

5. J'aime les bandes dessinées comiques.

Le groupe du nom

Écris les groupes du nom dans les phrases suivantes.

Il y a beaucoup _____ _____ _____.

_____ _____ _____ font partie de _____

_____.

Lorsque je vais à _____ _____ ou à _____ _____

_____, je lis durant _____ _____.

_____ _____ _____ _____ me font rire.

_____ _____

est _____ _____.

Le nom est le cœur du groupe du nom.
Fais donc toujours un ♥ au-dessus de tes noms.
Ainsi, tu ne te tromperas pas avec tes accords.

Le groupe du nom

Voici des personnages de bandes dessinées. Les connais-tu ? Écris les titres qui te sont dictés. Ensuite, souligne les groupes du nom dans chaque titre. Attention, il y en a parfois plus qu'un.

Mélusine : _____

Achille Talon : _____ .

Cédric : _____ !

Léonard : _____ .

Nathalie : _____ !

Spirou : _____ !

Tintin : _____ .

N'oublie pas,
chaque fois qu'il y a
un nom propre ou un nom commun,
il y a un groupe du nom !

Le groupe du nom

Invente un personnage de bande dessinée. Donne-lui un prénom original. Voici une liste pour t'aider à le décrire. Tu peux aussi choisir tes propres mots.

> magicien – épeurant – bandit - voleur - capturer - gardien
> aider - aile - bondir - argent - voiture - champion - vite

Mon personnage s'appelle…

_____

_____

_____

_____

_____

_____

Psst…
N'oublie pas tes accords.
Fais tes ♥ et tes lunettes
(s) (s)

Le groupe du nom

Dessine maintenant ton personnage. Tu dois lui donner cinq caractéristiques et deux défauts. Par exemple:

*Il est énorme. * Il est jaloux.

Mon personnage est:

_____   _____

_____   _____

_____

Une caractéristique sert à expliquer, à décrire quelque chose ou quelqu'un. Par exemple: Tintin est petit, blond, courageux, etc.

_____

Le groupe du nom

1. Écris la dictée que ton parent te donne. Prends le temps de bien faire ton autocorrection.

_____

_____

_____

_____

_____

_____

_____

_____

_____

2. Dans ta dictée, souligne les groupes du nom. N'oublie pas, s'il y a un nom, il y a un groupe du nom.

Les mots d'une même famille et les homophones

Les mots font souvent partie d'une même famille.
Pour t'aider à écrire, tu peux parfois retrouver un mot
de la même famille que le mot que tu cherches.
Par exemple : **vent** – **vent**eux – é**vent**ail.
En trouvant un mot de même famille, tu peux te rappeler
comment écrire un mot, car les mêmes lettres s'y retrouveront.

Encercle le mot qui fait partie de la même famille que le mot de la première colonne.

rouge	rose	rougeâtre	multicolore
botte	botter	boxe	soulier
pirate	méchant	bateau	piraterie
jambe	jambière	jambon	bras
plume	oiseau	plumage	poil

Attention,
les mots doivent appartenir
à un même sujet, une même idée.
Par exemple, *perruque* n'est pas un mot
de la même famille que *perroquet* !

Les mots d'une même famille et les homophones

1. Essaie de trouver un nom commun de la même famille que les adjectifs suivants. N'oublie pas que la base du mot ne change pas.

chocolaté _____

argenté _____

affectueuse _____

têtu _____

volant _____

magique _____

malade _____

épicée _____

2. Souligne les lettres identiques dans l'adjectif et le nom que tu as écrit.

Les lettres identiques forment le radical du mot.

Les mots d'une même famille et les homophones

1. Les pirates parcourent les mers à la recherche de trésors fabuleux. Grâce à leur carte au trésor, ils trouvent des coffres bien garnis. Complète la dictée suivante et tu verras ce que le pirate Jack a découvert.

Dans son bateau _____, le pirate Jack _____ des bijoux.

Il a mis la main sur un _____ tube en métal. Dans ce tube,

il a trouvé des _____, un collier _____ et même

une _____. Il a donné un _____

en pierres à sa _____. Il a _____ ses grandes bottes

_____ et il est retourné en mer.

2. Écris un mot de la même famille que ceux utilisés précédemment.

1. _____

2. _____

3. _____

4. _____

5. _____

6. _____

7. _____

8. _____

9. _____

10. _____

11. _____

Un mot de la même famille peut toujours t'aider à trouver la lettre muette qui termine un mot ! Ex. : blancheur, blanc.

Les mots d'une même famille et les homophones

Il y a des mots qui se prononcent de la même façon mais qui ne veulent pas dire la même chose.

Il est donc très important de savoir les différencier.

Par exemple : a et à

{avait}

Le matelot a peur du pirate.

Je n'écris pas d'accent car je peux dire : Le matelot avait peur du pirate.

{avait}

Le bateau à moteur va plus vite que le voilier.

J'écris le a avec un accent car je ne peux pas dire : Le bateau avait moteur va plus vite que le voilier.

1. Voici des exemples avec à :

Un homme **à** la mer !

Bateau **à** tribord !

Une épée **à** la taille !

2. Voici des exemples avec a :

Le bateau du pirate **a** trois voiles.

Le requin **a** mangé le cuisinier !

Le perroquet **a** des plumes vertes.

Les mots d'une même famille et les homophones

Complète la dictée de phrases. Attention aux mots qui ont une lettre muette. Pour t'aider à les trouver, nous t'indiquons lorsqu'il y en a une à la fin. Prend garde au *a*. Utilise ton astuce pour écrire le bon.

Le _____ (lettre muette à la fin) du capitaine _____ une

très grande puissance.

Tout _____ coup, il tire une balle dans le _____ (lettre

muette à la fin) du _____ (lettre muette à la fin) pirate masqué.

Ce pirate _____ très _____ (lettre muette à la fin).

Il _____ peur et se met _____ trembler. Il se penche sur le

_____ (lettre muette à la fin) du bateau et il crie :

_____ l'aide !

Dans la bulle, écris ton astuce pour choisir le bon *a* : a = avait / à ≠ avait

Le capitaine rit et dit : « Bien _____ (lettre muette à la fin) pour

toi pirate de malheur ! »

49

Les mots d'une même famille et les homophones

Tu connais sûrement de grands pirates ? Barbe-Noire, le pirate des Caraïbes... Dans cette dictée de phrases, tu vas découvrir une très grande femme pirate... Écoute bien !

Le verbe

Dans une phrase, il y a un mot qui dit ce que fait :
- la personne... Maman **marche** dans la rue.
- la chose... La voiture s'**arrête**.
- l'animal... Le chien **jappe** après l'enfant.

Ces trois mots sont des VERBES. Pour les trouver, tu te demandes :
Que fait maman (la personne) ? Elle <u>marche</u>.
Que fait la voiture (la chose) ? Elle s'<u>arrête</u>.
Que fait le chien (l'animal) ? Il <u>jappe</u>.

Trouve le verbe qui décrit l'image. Il y a deux mots, mais seulement un verbe. Entoure-le.

Lire – livre

voiture – rouler

poisson – nager

lumière – éclairer

Le verbe

Trouve le verbe qui va avec les moyens de transport suivants. Il peut y avoir plus d'une réponse. L'important, c'est de bien l'écrire !

Que fait la _____ dans la rue ? Elle _____.

Que fait _____ dans le ciel ? Il _____.

Que fait le _____ sur la mer ? Il _____.

Que font les hélices de l'_____ ? Elles _____.

Que fait la _____ sur le trottoir ? Elle _____.

Que fait la _____ sous l'eau ? Elle _____.

Le verbe

1. Victorine veut te parler de son moyen de transport préféré: la bicyclette. Complète la dictée avec les mots qui te sont dictés et tu sauras tout sur sa belle bicyclette.

_____ m'a acheté une bicyclette.

Je roule _____ vite et tout le _____ me regarde.

J'aime faire du _____ tous les _____.

_____ ma bicyclette _____, je peux sauter les trottoirs,

écraser des _____ et même aller dans la _____.

Je porte un _____ et des _____.

Je suis une cycliste _____!

2. Trouve cinq verbes dans la dictée et note-les sur la ligne.

_____   _____   _____

_____   _____

Le verbe

Complète le mot fléché suivant. Regarde toutes les images et remplis les cases.

N'oublie pas :
pour trouver le verbe, pose la question :
Que fait la fille ? Que fait l'homme ?

Le verbe

Trouve le verbe qui convient à chacune des phrases.
Victorine te donne des indices et tu n'as plus qu'à écrire
le verbe.

Le cuisinier aime _____.

Le pêcheur aime _____.

Le conducteur aime _____.

Le pilote aime _____.

Le jardinier aime _____.

Le poisson aime _____.

La chanteuse aime _____.

Et moi, qu'est-ce que j'aime ?

Victorine aime _____.

Écris ce que tu veux, mais attention,
il faut que ce soit un verbe.

Le verbe

Écris la dictée suivante, et ensuite, illustre la partie que tu préfères.

_____

_____

_____

_____

_____

_____

_____

Le verbe

Tu as vu que dans une phrase, il y a des déterminants,
des noms et des adjectifs. Tu sais aussi que le verbe est le mot
qui dit ce que fait la personne, l'animal ou la chose.
Exemple : La coccinelle **mange** des pucerons.
Que fait la coccinelle ? Elle mange.

Retrouve les verbes dans les phrases suivantes. Souligne-les. Chaque fois, réponds à la question : Que fait...?

La libellule vole dans le jardin.

Que fait la libellule ? _____.

Ma mère écrase le gros scorpion.

Que fait ma mère ? _____.

Les fourmis marchent deux par deux.

Que font les fourmis ? _____.

La grenouille avale un moustique.

Que fait la grenouille ? _____.

Je regarde les papillons.

Qu'est-ce que je fais ? _____.

Le verbe être et le verbe avoir

◇ ◇ ◇ ◇ ◇ ◇ ◇ ◇ ◇ ◇ ◇ ◇ ◇ ◇ ◇ ◇ ◇ ◇

1. Le verbe être sert pour parler de quelqu'un, de quelque chose.

.....Être.....

Je suis… malade.
Tu es… grand.
Il est… fort. / Elle est … forte.
Nous sommes… joyeux.
Vous êtes … fâchés.
Ils sont… tristes. / Elles sont… tristes.

2. Trouve le pronom pour remplacer le groupe du nom qui est souligné. Conjugue aussi le verbe être à la bonne personne.

La mouche _____ noire.

_____

Les abeilles _____ piquantes !

_____

Mon frère et moi _____ peureux.

_____

Le petit puceron _____ mangé par la grosse coccinelle.

_____

Tu _____ agile comme une sauterelle.

Les taons _____ jaunes et noirs.

_____

Je	Nous
Tu	Vous
Il/elle	Ils/elles

Ce sont des pronoms.
Le pronom est un mot
qui remplace le nom.
Par exemple :
Pierre aime les papillons.
Il aime les papillons.

Le verbe être et le verbe avoir

◇◇◇◇◇◇□◇□□□□□□□□◇◇◇◇◇

Complète la dictée et essaie de deviner quel est l'insecte qui fait le plus peur à Victorine.

L'insecte _____ vert.

Il _____ gros et ses pattes _____ très longues.

Ses ailes _____ sur son long dos.

Victorine _____ épouvantée par les gros yeux de cet insecte.

L'insecte chuchote à Victorine : je _____ plus fort que toi !

Hou hou ! Elle a peur ! As-tu deviné ?

C'_____ une mante religieuse.

_____-tu effrayé(e) toi aussi ?

La mante religieuse vit dans les buissons,
les jardins ou les plaines.
Elle se nourrit d'autres insectes.
Il existe plusieurs espèces
de mantes religieuses au Québec.

Le verbe être et le verbe avoir

◇ ◇ ◇ ◇ ◻ ◻ ◻ ◻ ◻ ◻ ◻ ◻ ◻ ◻ ◻ ◇ ◇ ◇ ◇

1. Le verbe avoir est aussi très important. Regarde comment il se conjugue. Peux-tu compléter la phrase avec un mot de ton choix?

Exemple : J'ai faim.

J'ai _____   Nous avons _____

Tu as _____   Vous avez _____

Il/Elle a _____   Ils/Elles ont _____

2. Complète les phrases avec le verbe avoir.

Victorine _____ de nouvelles chaussures.

Victorine et moi _____ mangé des mûres.

Victorine et ses amis _____ la varicelle.

J' _____ donné un bracelet à Victorine.

Victorine et toi _____ vu un film.

Tu _____ beaucoup d'amies.

Les pronoms sont singuliers ou pluriels :
je, tu, il, elle sont au singulier ;
nous, vous, ils et *elles* sont au pluriel.

Le verbe être et le verbe avoir

Complète la dictée trouée suivante. Tu apprendras des détails sur l'insecte qui est l'amie de Victorine.

Mirabelle _____ une belle coccinelle.

Le jour, elle _____ des pucerons.

Elle _____ une préférence pour les plus dodus !

Le soir, les deux amies _____ dans le gazon.

Elles aiment _____ le ciel.

Elles _____ du plaisir à se retrouver.

_____ -tu aussi un insecte qui _____ ton ami ?

Tu pourrais le _____ à Victorine et Mirabelle !

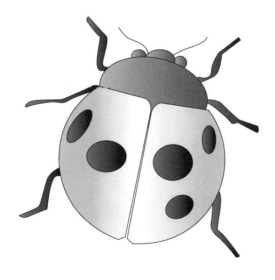

Le verbe être et le verbe avoir

Voici une dictée de phrases. Dans cette dictée, souligne les verbes. Il y en a 10.

Révision

**Dans ce cahier de dictées, tu as appris différentes notions.
Note sur la ligne ce qui est demandé.**

Écris :

- un déterminant : _____ ;

- un nom commun : _____ ;

- un nom propre : _____ ;

- un adjectif : _____ ;

- un groupe du nom : _____ ;

- un mot de la même famille que grand : _____ ;

- un verbe : _____ .

Alors, comment va ta mémoire ?
Te rappelles-tu de ces notions ?
Si oui, un gros bravo !
Si non, ce n'est pas grave,
on continue à travailler !

Révision

Écris la dictée que ton parent te lit. N'oublie pas tes trucs pour te corriger. Lis bien la bulle de Victorine pour t'aider.

1. Entoure les majuscules et les points.
2. Fais un cœur au-dessus des noms.
3. Fais tes lunettes de pluriel.
4. Surtout, cherche dans les petits tiroirs de ta mémoire, c'est là que sont les mots !

Voici une petite dictée pour te parler de l'hiver. C'est un poème, alors les phrases sont courtes et elles riment.

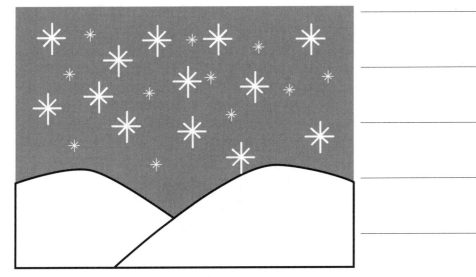

Écoute la conversation entre le printemps et l'automne. Elles sont drôles ces saisons !

L'automne dit :

– _____

Le printemps répond :

– _____

_____

L'automne réplique :

– _____

_____

Le printemps répond :

– _____

_____

Dictée finale

Victorine fait un bonhomme de neige. Elle t'explique comment opérer. Écris ce qu'elle te dit :

_____

_____

_____

_____

_____

_____

_____

_____

_____

Pour les as

**Au tour de papa et maman de travailler un peu !
Ils vont inventer une dictée pour toi. Donne-leur un thème,
une idée pour commencer et hop ! à eux de composer.
Par exemple, tu peux leur dire : j'aimerais une dictée
sur les poupées ou je veux une dictée sur les avions.
Voyons s'ils ont de l'imagination...**

Corrigé

Détachez et agrafez cette section.

Page 9

1. d - q - r
   a - g - n
   b - j - u

2. à - è - ï - l - o - t - x

Page 10

1. **t**ambour **v**iolon **g**uitare **p**iano **c**larinette **f**lûte

2. **c**larinette **f**lûte **g**uitare **p**iano **t**ambour **v**iolon

Page 11

1. **Au** clair de la **lune**
   Mon ami Pierrot.
   Prête-moi ta **plume**,
   Pour **écrire** un mot.
   Ma chandelle est **morte**
   Je n'ai plus de feu…
   Ouvre-moi la **porte**
   Pour l'amour de Dieu !

2. Au, écrire, je, lune, ma, mon, morte,
   plume, porte, pour.

Page 12

1. Je suis un musicien. J'aime la **musique** parce que
   c'est **beau**. Le soir, dans ma **chambre**, j'écoute
   toujours la radio. C'est comme un **chant**
   d'**oiseau** à mes **oreilles**.
   Je joue de plusieurs **instruments** : du **violon**,
   de la **trompette** et de la **guitare**.

2. beau, chambre, chant, guitare, instruments,
   musique, oiseau, oreilles, trompette, toujours,
   violon.

Page 13

Le **téléphone** est dans le **coffre**.
Le **nénuphar** est dans les **feuilles**.
Ce **dauphin** se déplace aussi vite qu'une **fusée**.
Le **phoque** est **fâché** !
Il y a un **trophée** caché dans la **forêt** !
Le **fou du roi** connaît son **alphabet**.
Je regarde le **feu** près du **phare**.

Page 14

La fanfare de Victor est à l'école.
Il y a deux flûtes, trois tambours et une trompette.
Le frère de Victorine joue de l'harmonica.
Les photographes sont là pour prendre des photos.
Les enfants sont contents.
La musique résonne partout.
Vive la fanfare !

Page 15

Réponses au choix.

Page 16

1. Le corps humain est une **fameuse** machine !

   Notre squelette **protège** les **organes** : le cœur,
   les poumons, l'estomac, etc.

   Le crâne est comme une **carapace** pour
   le **cerveau**.

   L'air entre par le nez et la **bouche**.

   Le cœur fait le **travail** d'une **grosse pompe**.

   Les aliments nous aident à **demeurer** en
   forme.

2. a) coude b) pied c) tête d) cou e) bras f) jambe

Corrigé

Page 17

a) cœur   b) soulier   c) nez
d) feu de circulation   e) balançoire
f) chien   g) champignon

Page 18

- 200 g de **chocolat noir**
- 125 g de **beurre**
- 100 g de **farine**
- 1 **cuillère** à thé de **poudre** à lever
- 4 **œufs**
- 150 g de **sucre**

1. **Faire** fondre le **beurre** dans une petite **casserole** avec le **chocolat**.

2. **Retirer** du feu.

3. Incorporer la **poudre** à lever et la **farine**.

4. Battre les **œufs** avec le **beurre** et **ajouter** le **chocolat.**

5. Verser la **préparation** dans un moule beurré et fariné.

6. Mettre au **four** à 350 °F pendant 30 **minutes**.

7. Miam ! Il est temps de se **régaler** !

Page 19

– **J'ai** mal au **ventre**. Lorsque je me **penche**, mon **cœur** lève. Je **suis** étourdie et je ne veux rien **manger**. Je ne **tousse** pas, je ne **mouche** pas et je ne **saigne** pas. Je ne **regarde** même pas le **magicien** à la télévision. Alors docteur ?

– Combien de **portions** de gâteau as-tu mangées ?

Victorine est **gênée**. Elle a été trop **gourmande** la coquine !

Page 20

Avec les **mains**, je fais des **additions** !
Avec les **pieds**, j'aime danser.
Avec ma langue, je goûte à mon suçon.
Avec mes **jambes**, je promène mon chien Pogo.
Et avec mon cœur… j'adore mon père et ma mère !

Page 21

L' (déterminant) Halloween (nom propre) est une (déterminant) fête (nom commun) spéciale pour les (déterminant) enfants (nom commun). On mange des (déterminant) bonbons (nom commun), on se déguise toute la (déterminant) journée (nom commun). À Noël (nom propre), les (déterminant) gens (nom commun) ont le (déterminant) cœur (nom commun) plein d'amour (nom commun) et de joie (nom commun). À la (déterminant) Saint-Valentin (nom propre), mon (déterminant) papa (nom commun) et ma (déterminant) maman (nom commun) me font un (déterminant) gros câlin (nom commun). Et à Pâques (nom propre), qu'est-ce que je fais ? Je mange des (déterminant) poules (nom commun) et des (déterminant) œufs (nom commun) en chocolat (nom commun) !

Page 22

1. frère, fleur, cadeau, père Noël, ange, étoile, sapin, Noël, Montréal, bonbon, vampire, sorcière, réveillon, cœur, amour, Jésus, chasse, chocolat, bec, congé.

2. une ou la brioche ;
deux, trois, quatre, les ou des déguisements ;
un ou le lapin en chocolat ;
une ou la fondue ;
deux, trois, quatre, les ou des sapins de Noël ;
deux, trois, quatre, les ou des couronnes.

Corrigé

Page 23

Je suis **une poule** en chocolat. Je m'appelle Cocotte. Le **matin** de Pâques, je me cache dans le **jardin** de la **maison**. Pourquoi? Parce que tous les **petits** me cherchent pour me manger. J'ai peur et je tremble de toutes **mes plumes**! Un jour, un **garçon** plus rusé est passé tout près de moi. Oh! là, là! J'ai arrêté de respirer pendant **trente secondes**. Et puis, ouf! il ne m'a pas trouvée. Mais il a mangé toutes **les fraises** du **fermier**!

Page 24

Réponses au choix.

Page 25

Il y a **un dimanche** très important au **mois de mai**. C'est **la fête des Mères**. Certains pensent que **cette journée** nous vient **du temps d'Astérix**. D'autres disent que c'est en **Amérique** que **les mamans** ont commencé à recevoir **cet honneur**. Peu importe son origine, tous **mes amis** et moi adorons embrasser **notre mère le matin** de **ce jour** spécial.

Déterminant	Nom commun	Nom propre
un	dimanche	Astérix
la	mai	Amérique
des	fête	
cette	Mères	
du	journée	
d'	temps	
les	mamans	
cet	honneur	
mes	amis	
notre	mère	
le	matin	
ce	jour	

Page 26

1. *Note aux parents: N'oubliez pas de nommer les signes de ponctuation.*

Ce matin, je suis très contente. C'est ma fête! Je ne dis pas mon âge. À toi de deviner! J'ai reçu beaucoup de cadeaux: un beau vélo rouge, des lunettes de soleil, un casse-tête et des jouets. Maman a fait un gros gâteau avec des fraises et des framboises. Miam, toute la famille a bien mangé!

Page 27

Plusieurs combinaisons sont possibles, mais les mots maman, jouer et pays ne sont pas des adjectifs et ne doivent pas être utilisés.

Page 28-29

horizontal: 1. mort   2. grand   3. peureux
4. vert   5. carnivore   6. herbivore

vertical: 7. méchant   8. longue   9. disparu
10. ovipare

Page 30

1. Dictée d'adjectifs: grosse, rouge, laid, froid, énorme, fort, malade, rapide, terrifiant, brun, grise, petit, sombre.

2. Les dinosaures **malades** ne vivaient pas longtemps. Le plus fort était le tyrannosaure ou T. Tex. Il était **terrifiant** et très **rapide**. Ses **grosses** dents faisaient peur à tous les animaux. Les couleurs **brunes** et **grises** étaient présentes chez certains dinosaures. Les nuits **froides**, les **petits** dinosaures se cachaient dans les grottes **sombres**.

Corrigé

Page 31

Le joli diplodocus.
Les petits œufs.
Les grosses pattes.
Les dents pointues.
La mâchoire forte.
Le chasseur redoutable.
Le minuscule oiseau.
Des plaques épaisses.
Les hautes épaules.
Les grands fleuves.

Page 32

Note aux parents : vous pouvez épeler les mots en italique.

Martin, le **petit** iguanodon, est **triste**.
Il a perdu sa maman dans la **grande** forêt.
Son ami Julien, le **gros** supersaurus, mange toujours.
Il n'est pas **nerveux** parce qu'il est avec Martin.
Alors, il mange les **belles** feuilles autour de lui.

Page 33

un clown : masculin ;
un funambule : masculin ;
une danseuse : féminin ;
la jongleuse : féminin ;
une gymnaste : féminin ;
le cirque : masculin.

Page 34

1. un lion,
   l'éléphant,
   la licorne,
   l'otarie,
   un ours,
   un cheval.

Page 35

Julia est **une acrobate** (f) dans **le cirque** (m) Mambo. Elle marche sur **un fil** (m) avec **un parapluie** (m). Parfois, elle chute mais **son ami** (m) **le jongleur** (m) l'aide à remonter. **La femme** (f) travaille depuis longtemps sous **la tente** (f). **Un jour** (m), Julia veut grimper sur **l'échelle** (f) pour attraper **le trapèze** (m). Elle pourra alors se balancer comme **un singe** (m) !

Page 36

Un joyeux funambule (Une joyeuse funambule)
Le grand jongleur (La grande jongleuse)
Mon dompteur préféré (ma dompteuse préférée)

Bien distinguer les sons : dom-p-teu-r car c'est un mot très difficile.

Un énorme éléphant (Une énorme éléphante)
Le trapéziste fabuleux (La trapéziste fabuleuse)
Le lion sauteur (La lionne sauteuse)

Page 37

a) Les ou des ours
b) La ou une corde
c) Le ou un tambour
d) Les ou des chapeaux
e) Les ou des ballerines
f) La ou une tente

Page 38

1. Sous le grand chapiteau, les animaux du cirque se reposent*.
   Il y a deux grandes girafes, trois tigres féroces et un petit chien noir.
   Le dompteur chuchote à l'oreille de ses lions.
   Il n'a pas peur.
   À huit heures, le spectacle* commence.
   Il faut garder le silence pour les vedettes du cirque.
   * à épeler

Corrigé

2.

Déterminant	Nom commun	Adjectif
les	animaux	
deux	girafes	grandes
trois	tigres	féroces
ses	lions	
huit	heures	
les	vedettes	

Page 39

1. <u>Obélix</u> (nom propre) est <u>un</u> (déterminant) <u>gros</u> (adjectif) <u>bonhomme</u> (nom commun).

2. <u>Le</u> (déterminant) <u>petit</u> (adjectif) <u>garçon</u> (nom commun) s'appelle <u>Cédric</u> (nom propre).

3. <u>Le</u> (déterminant) <u>chat</u> (nom commun) <u>Garfield</u> (nom propre) aime tout manger !

4. Connais-tu <u>le</u> (déterminant) <u>chien</u> (nom commun) de <u>Tintin</u> (nom propre) ? C'est <u>Milou</u> (nom propre).

5. J'aime <u>les</u> (déterminant) <u>bandes dessinées</u> (nom commun) <u>comiques</u> (adjectif).

Page 40

Il y a beaucoup **de livres amusants**.

Les bandes dessinées font partie de **ce groupe**.

Lorsque je vais à **la bibliothèque** ou à **la grande librairie**, je lis durant **des heures**.

Les drôles de personnages me font rire.

Mon bonhomme préféré est **le petit Astérix**.

Page 41

Mélusine : **Le bal des vampires.**

Achille Talon : **Achille Talon a la main verte.**

Cédric : **Papa, je veux un cheval !**

Léonard : **Le génie donne sa langue au chat.**

Nathalie : **Tout le monde sur le pont !**

Spirou : **Fais de beaux rêves !**

Tintin : **On a marché sur la Lune.**

Page 44

Dictée de phrases :

<u>Victorine</u> aime <u>la lecture</u>.

Elle imagine être <u>l'héroïne</u> (à épeler) d'<u>une bande dessinée</u>.

Dans <u>son rêve</u>, elle est <u>Vivi, la super détective</u>.

Elle court après <u>les méchants voleurs</u>.

Elle enferme <u>les bandits</u> dans <u>des prisons sales</u>.

Oui, <u>Victorine</u> aime lire !

Page 45

rouge	rose	(rougeâtre)	multicolore
botte	(botter)	boxe	soulier
pirate	méchant	bateau	(piraterie)
jambe	(jambière)	jambon	bras
plume	oiseau	(plumage)	poil

Corrigé

Page 46

chocolaté	chocolat
argenté	argent
affectueuse	affection
têtu	tête
volant	vol
magique	magie
malade	maladie
épicée	épice

Note aux parents : certains mots seront plus difficiles à trouver (affection, vol…). Pour aider votre enfant, posez-lui des questions : Lorsque tu es affectueuse, tu donnes de l'…?

Page 47

Dictée :

1. Dans son bateau **vert**, le pirate Jack **cherche** des bijoux. Il a mis la main sur un **long** tube en métal. Dans ce tube, il a trouvé des **perles**, un collier **gris**, et même une **fleur bleue**. Il a donné un **pot** en pierres à sa **fille**. Il a **chaussé** ses grandes bottes **noires** et il est retourné en mer.

2. 1. vert : verte, verdâtre, etc.
   2. cherche : recherche, chercheur, etc.
   3. long : longue, longueur, etc.
   4. perles : perlé
   5. gris : grise, grisonner, etc.
   6. fleur : fleuri, fleurir, etc.
   7. bleue : bleu, bleuté, etc.
   8. pot : poterie, potier, etc.
   9. fille : fillette
   10. chaussé : chaussure, chausson
   11. noires : noir, noirceur, etc.

Page 49

Le **fusil** (lettre muette à la fin) du capitaine **a** une très grande puissance.

Tout **à** coup, il tire une balle dans le **bras** (lettre muette à la fin) du **méchant** (lettre muette à la fin) pirate masqué.

Ce pirate **a** très **chaud** (lettre muette à la fin). Il a peur et se met à trembler. Il se penche sur le **bord** (lettre muette à la fin) du bateau et il crie : à l'aide !

Le capitaine rit et dit : « Bien **fait** (lettre muette à la fin) pour toi pirate de malheur ! »

Page 50

Cette pirate est douce.

Elle a deux grands yeux et deux petites oreilles.

Elle a un cache-œil.

Sur son épaule, il y a toujours son perroquet Rambo.

Son oiseau à plumes rouges et noires, a un long bec et vole partout.

Il s'agit de la célèbre Victoripapounette !

Page 51

Lire – livre
voiture – rouler
poisson – nager
lumière – éclairer

Page 52

Que fait la **voiture** dans la rue ? Elle **roule**.
Que fait l'**avion** dans le ciel ? Il **vole**.
Que fait le **voilier** sur la mer ? Il **vogue**.
Que font les hélices de l'**hélicoptère** ? Elles **tournent**.
Que fait la **fille** sur le trottoir ? Elle **marche**.
Que fait la **sirène** sous l'eau ? Elle **nage**.

Corrigé

Page 53

1. **Maman** m'a acheté une bicyclette.
   Je roule **très** vite et tout le **monde** me regarde.
   J'aime faire du **vélo** tous les **jours**.
   Avec ma bicyclette **rouge**, je peux sauter
   les trottoirs, écraser des **fourmis** et même
   aller dans la **forêt**.
   Je porte un **casque** et des **gants**.
   Je suis une cycliste **fabuleuse** !

2. a, acheté, roule, regarde, aime, faire, peux,
   sauter, écraser, aller, porte, suis.

Page 54

Page 55

Le cuisinier aime **cuisiner**.
Le pêcheur aime **pêcher**.
Le conducteur aime **conduire**.
Le pilote aime **piloter**.
Le jardinier aime **jardiner**.
Le poisson aime **nager**.
La chanteuse aime **chanter**.
Et moi, qu'est-ce que j'aime ?
Victorine aime manger, dessiner, courir…

Page 56

La voiture de ma mère est blanche.
Les quatre roues sont noires et grises.
Maman aime conduire dans la rue.
Son auto s'arrête à la lumière rouge.
Elle fait vroum, vroum et va vite sur l'autoroute.

Page 57

La libellule vole dans le jardin.
  Que fait la libellule ? **Elle vole**.

Ma mère écrase le gros scorpion.
  Que fait ma mère ? **Elle écrase**.

Les fourmis marchent deux par deux.
  Que font les fourmis ? **Elles marchent**.

La grenouille avale un moustique.
  Que fait la grenouille ? **Elle avale**.

Je regarde les papillons.
  Qu'est-ce que je fais ? **Je regarde**.

Page 58

La mouche *est* noire.
  Elle.

Les abeilles *sont* piquantes !
  Elles.

Mon frère et moi *sommes* peureux.
  Nous.

Le petit puceron *est* mangé par la grosse coccinelle.
  Il

Tu *es* agile comme une sauterelle.

Les taons *sont* jaunes et noirs.
  Ils

Corrigé

Page 59

L'insecte **est** vert.

Il **est** gros et ses pattes **sont** très longues.

Ses ailes **sont** sur son long dos.

Victorine **est** épouvantée par les gros yeux de cet insecte.

L'insecte chuchote à Victorine : je **suis** plus fort que toi !

Hou, hou ! Elle a peur ! As-tu deviné ?

C'est une mante religieuse.

Es-tu effrayé(e) toi aussi ?

Page 60

Victorine **a** de nouvelles chaussures.

Victorine et moi **avons** mangé des mûres.

Victorine et ses amis **ont** la varicelle.

J'**ai** donné un bracelet à Victorine.

Victorine et toi **avez** vu un film.

Tu **as** beaucoup d'amies.

Page 61

Mirabelle **est** une belle coccinelle.

Le jour, elle **mange** des pucerons.

Elle **a** une préférence pour les plus dodus !

Le soir, les deux amies **sont** dans le gazon.

Elles aiment **regarder** le ciel.

Elles **ont** du plaisir à se retrouver.

As-tu aussi un insecte, qui est ton ami ?

Tu pourrais le **présenter** à Victorine et Mirabelle !

Page 62

Dictée de phrases :

Je <u>suis</u> sur la pelouse.

Tout à coup, une abeille me <u>pique</u> !

J'<u>ai</u> très mal au pied. Je <u>marche</u> et j'<u>entre</u> dans la maison.

Maman <u>est</u> *inquiète**.

Elle <u>a</u> des doigts magiques !

Elle <u>enlève</u> le *dard* *et nous <u>sommes</u> contentes.

Tu <u>es</u> géniale maman chérie !

* *(mot à épeler)*

Page 63

Note au parent : Il est <u>normal</u> que votre enfant n'arrive pas à compléter entièrement cette page. Seul le déterminant, le nom commun et le nom propre doivent être acquis à la fin de la deuxième année. Les autres notions continueront d'être travaillées tout au long du primaire.

Page 64

Dictée :

Ma saison préférée est l'été.

J'aime être en vacances.

Je nage, je cours et je fais du vélo.

Mon petit frère joue avec moi dans le sable.

Ma grande sœur et moi allons au parc.

J'adore la saison du soleil !

Corrigé

Page 65

Dictée :

L'hiver est arrivé.

Mon cœur va exploser.

Je m'habille :

Sur ma tête une tuque rose,

Dans mes mains des mitaines jaunes,

Et pour mes pieds, deux belles bottes rouges.

Pour mon cou ?

Un foulard tout doux !

Page 66

Dictée :

– Enfin, les arbres ont des feuilles rouges.

– Oui, mais les feuilles vont tomber !

Moi, au moins, je fais pousser les fleurs.

– Mais tes fleurs, en hiver, elles se cachent !

– Tu as raison, nous sommes donc deux belles saisons !

Page 67

Dictée :

En premier, je roule trois grosses boules de neige.

Ensuite, je place la petite en haut, pour la tête.

Deux boutons pour les yeux, une carotte pour le nez
et un lacet pour la bouche.

Je trouve deux branches pour faire les bras.

Voilà, c'est le plus beau bonhomme de la rue !

Banque de mots

Voici une liste de mots fréquemment utilisés. Vous pouvez vous en servir pour créer de nouvelles dictées ou les donner en dictée tel quel.

à	avoir	chambre	coup	fête
à côté	avril	champ	cour	feu
à droite	balle	changer	dame	feuille
à gauche	banane	chant	dans	février
accident	bas	chanter	décembre	figure
acheter	basse	chapeau	demander	fille
aile	battre	chaque	dernier	finir
aimer	beau	chasse	dernière	fleur
air	beaucoup	chat	des	fois
aller	bébé	château	deux	fort
alors	belle	chatte	deuxième	forte
amusant	bien	chaud	devant	frère
amusante	bientôt	chaude	devenir	froid
amuser	blanc	chemin	devoir	froide
an	blanche	cher	dimanche	fruit
animal	bleu	chercher	dire	garçon
animaux	bleuet	cheveu	dix	grand
année	boire	cheval	donner	grande
août	bois	chevaux	dormir	gris
apporter	bon	chez	douce	grise
approcher	bonjour	chien	doux	gros
après	bonne	chienne	douze	grosse
arbre	bonsoir	chocolat	du	haut
argent	bord	chose	eau	haute
arracher	bouche	ciel	école	heure
arrêter	bout	cieux	élève	heureuse
au milieu	branche	cinquante	elle	heureux
aussi	bras	classe	encore	histoire
auto	bruit	cœur	enfant	homme
autobus	brun	coin	enfin	huit
automne	brune	comme	ensuite	il
autour	cent	commencer	et	il y a
autre	centimètre	comment	être	image
avant	chacun	côté	faire	jamais
avec	chacune	cou	famille	janvier
avion	chaise	couleur	fenêtre	jardin

Banque de mots

jaune	mai	œuf	premier	tableau
je	main	œufs	première	te
jeu	mais	offrir	prière	terrain
jeudi	maison	oiseau	propre	tes
joie	malade	on	puis	tête
joli	maman	oncle	quand	ton
jouer	marche	onze	quatorze	toujours
jour	mardi	orange	quatre	tous
journée	mars	ou	que	tout
joyeuse	me	oui	qui	toute
joyeux	même	ouvrir	quinze	toutes
juillet	merci	page	reine	train
juin	mercredi	pain	robe	treize
la	mère	papa	roi	très
laid	mes	par	rose	triste
laide	meuble	parfois	rouge	trois
lait	mon	parler	rouler	tu
lapin	monde	patate	route	un
lapine	montagne	pauvre	rue	une
large	monter	pays	sa	vélo
le	mot	peau	sac	vendredi
leçon	musique	père	sage	vent
lecture	nature	personne	samedi	vert
légume	ne … pas	petit	seize	verte
les	neige	petite	semaine	vie
lettre	neuf	peut	septembre	vieille
lever	nez	peux	ses	vieux
lire	noir	pied	six	ville
lit	nom	place	sœur	visage
livre	non	plaisir	soir	vite
loin	nos	pluie	soleil	voici
long	notre	plus	son	voilà
longue	nous	pomme	souris	vos
loup	nouveau	porte	sous	votre
louve	nouvelle	poule	souvent	vouloir
lundi	novembre	poupée	sur	vous
lune	nuit	pour	ta	yeux
ma	octobre	pouvoir	table	